I am top cat.

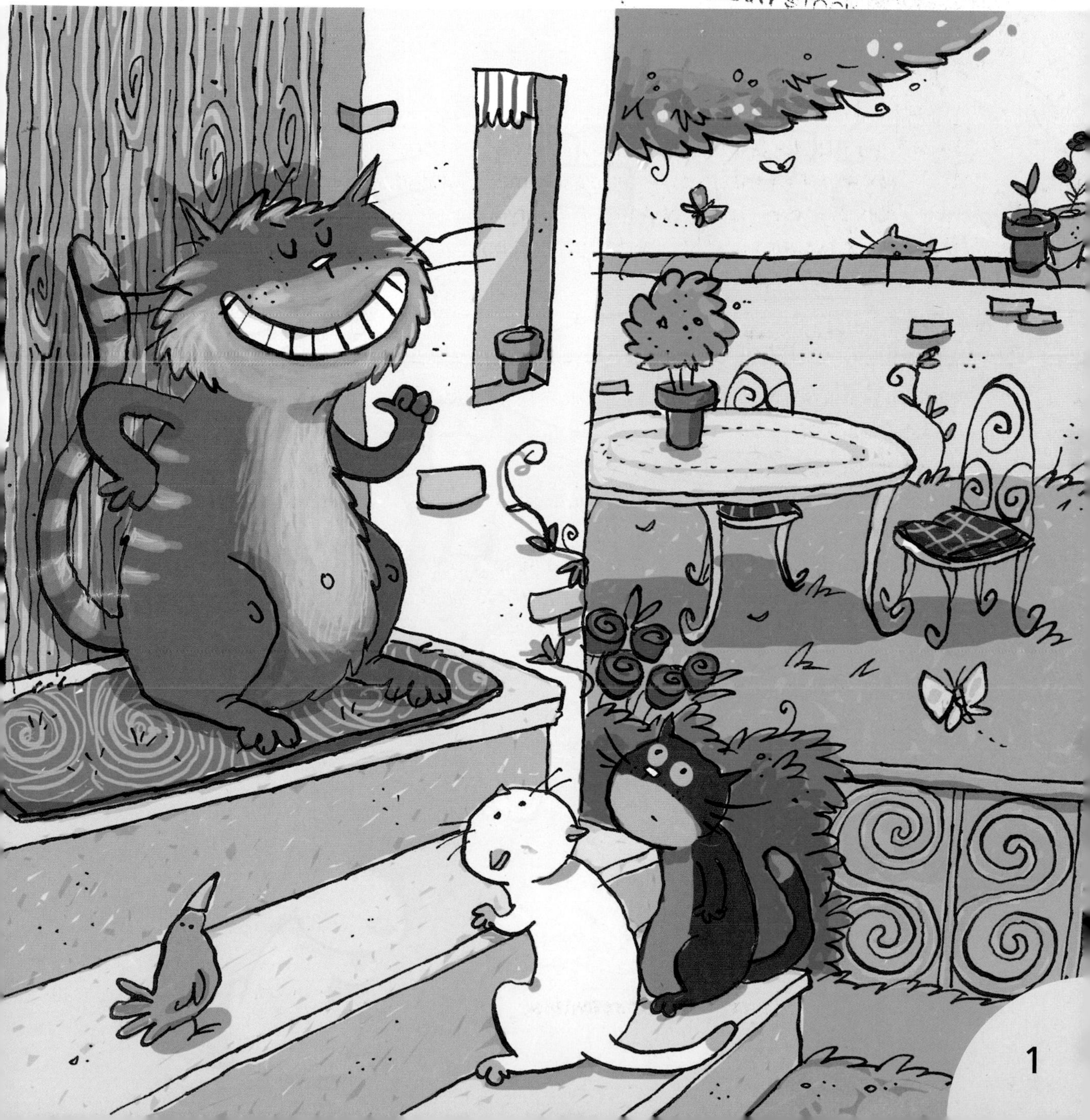

Am I top cat?

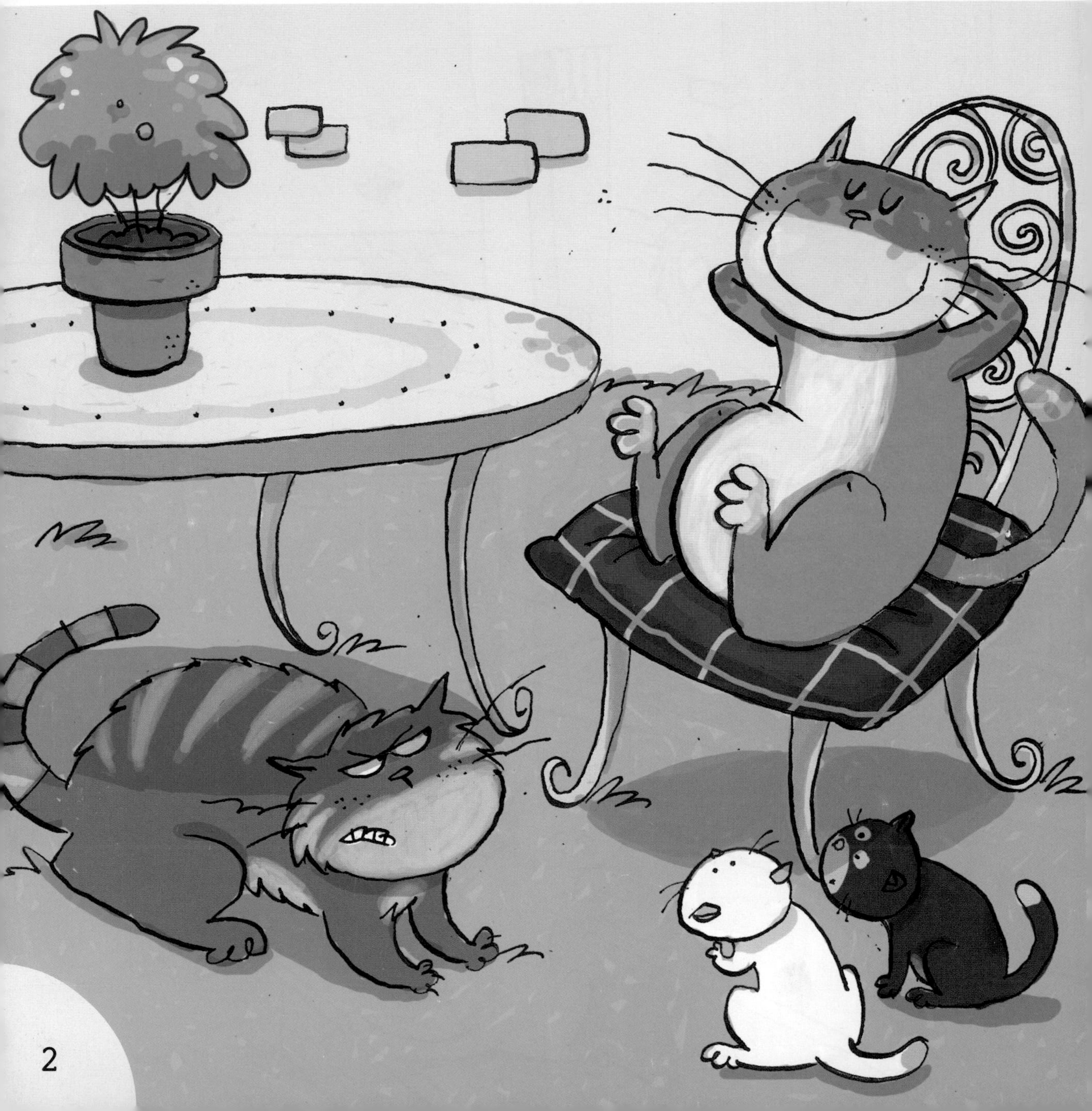

I am! I am!

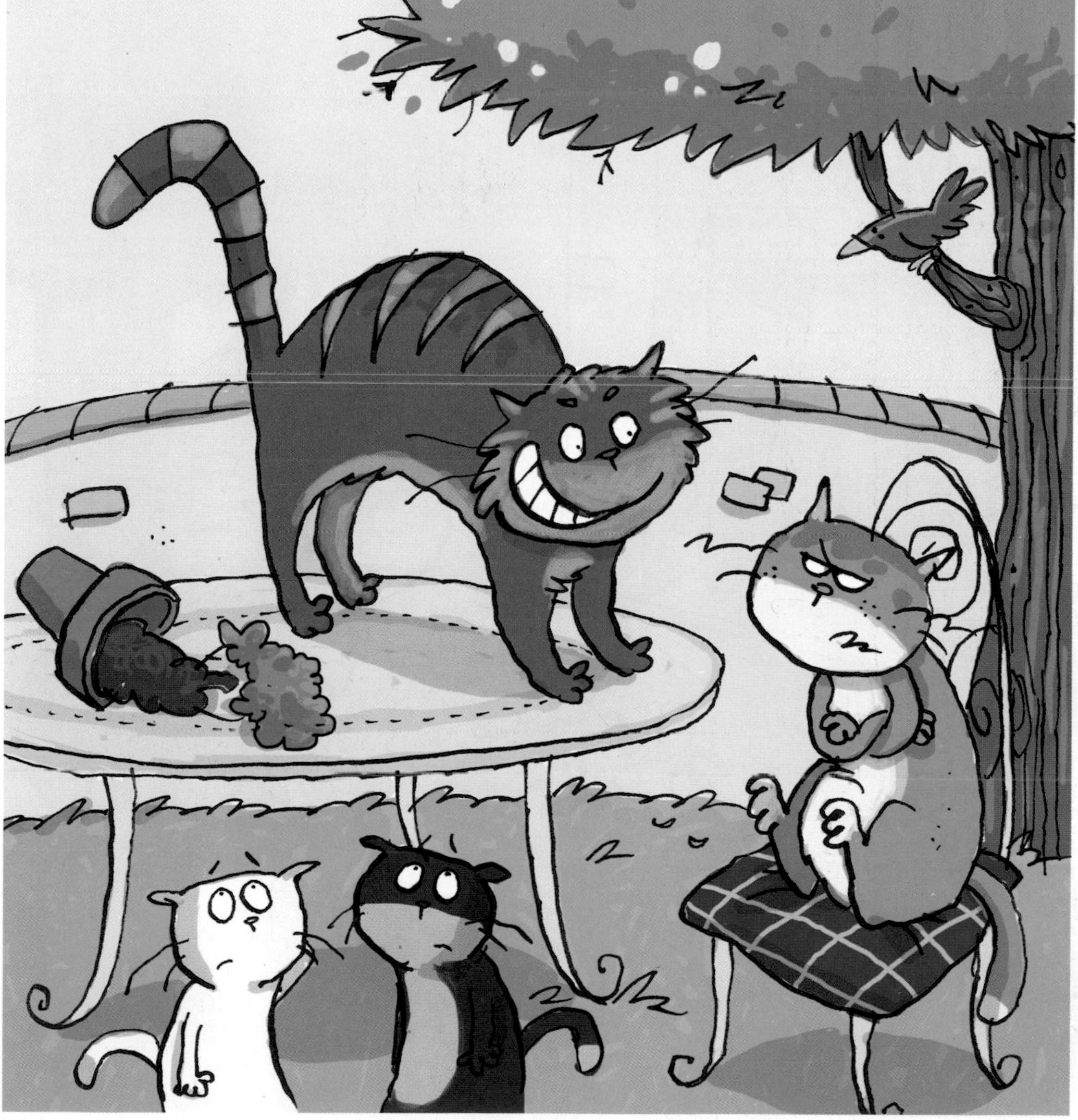

I am top cat.

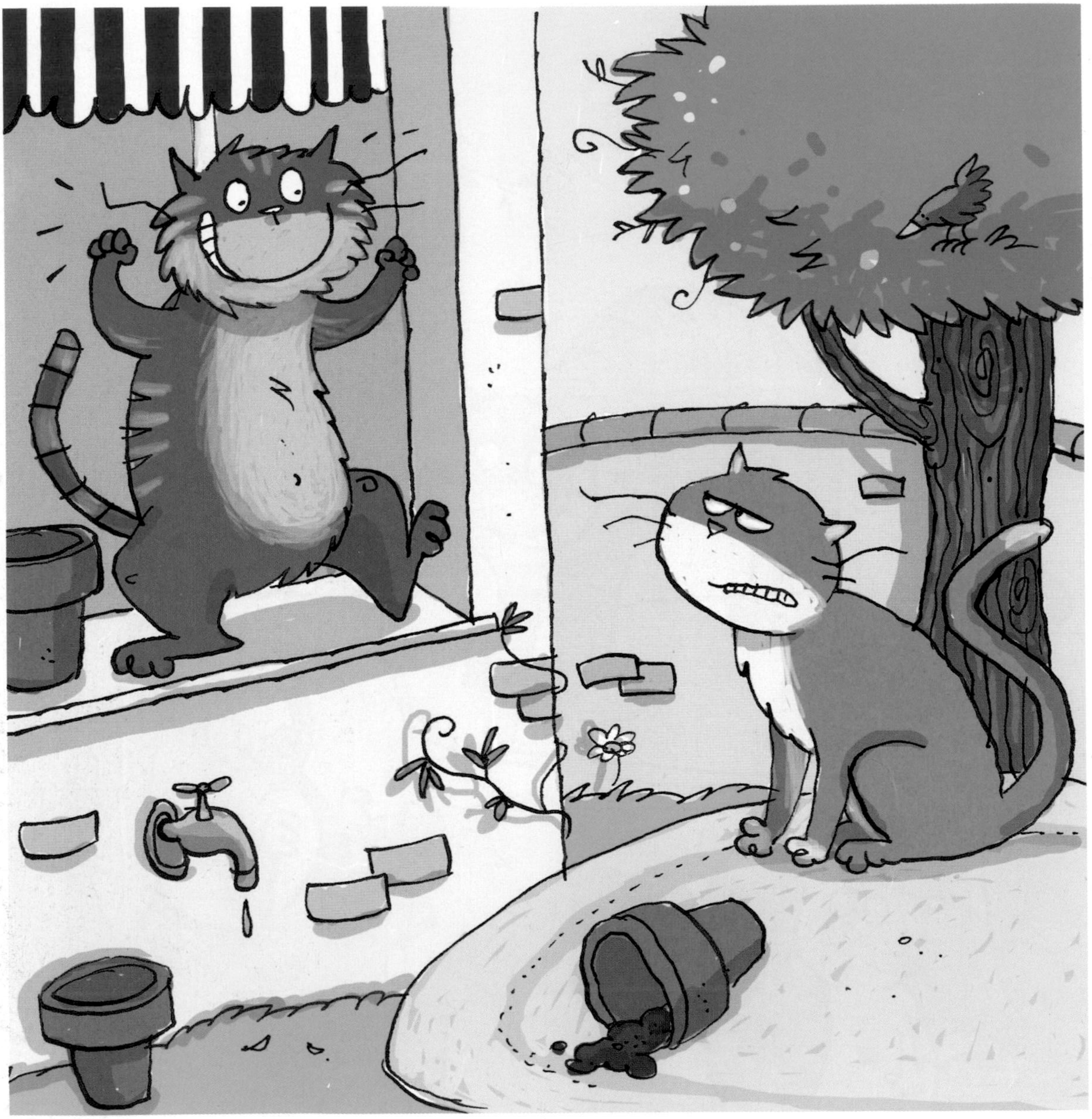

Am I top cat?

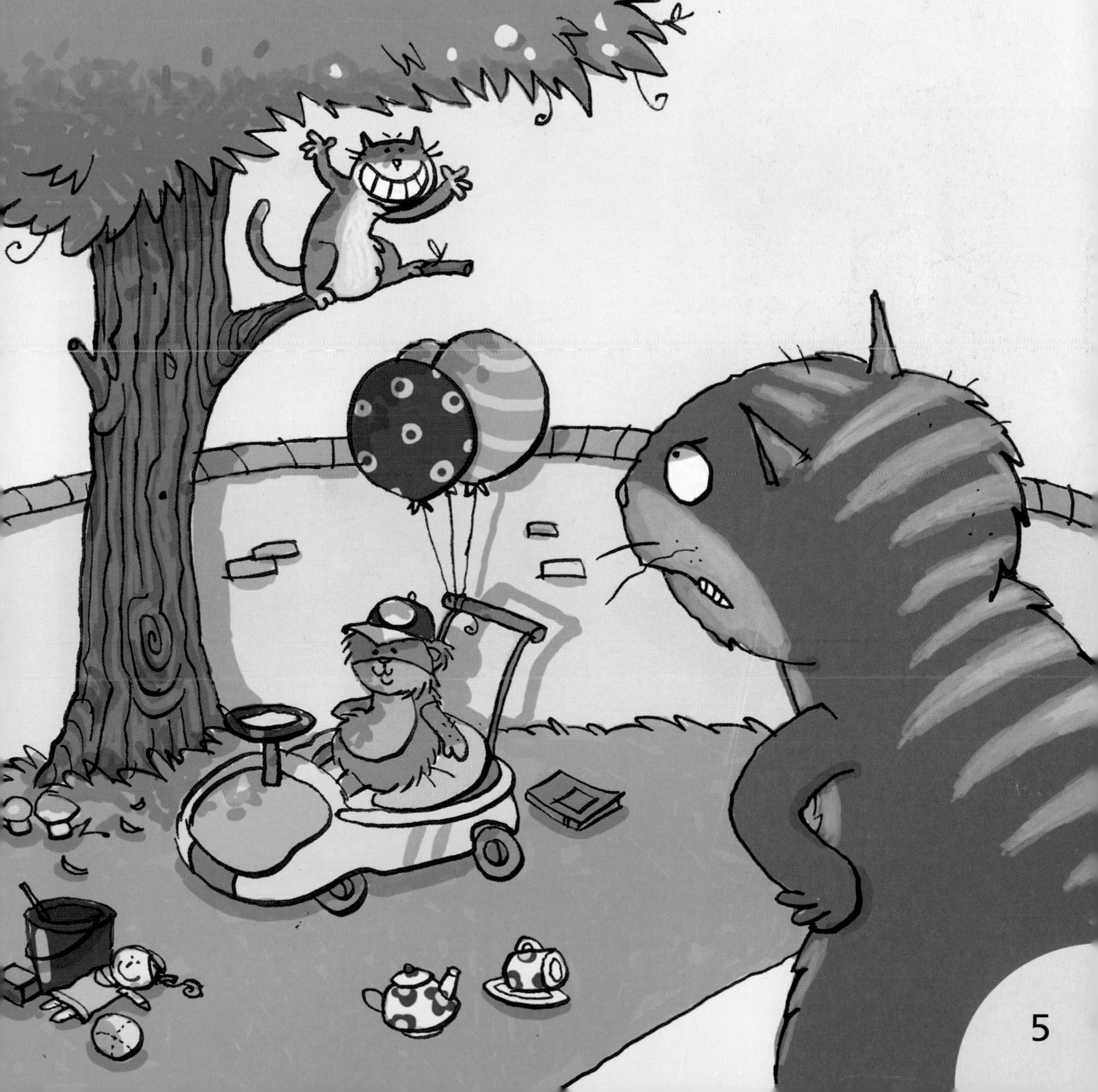

I am! I am!

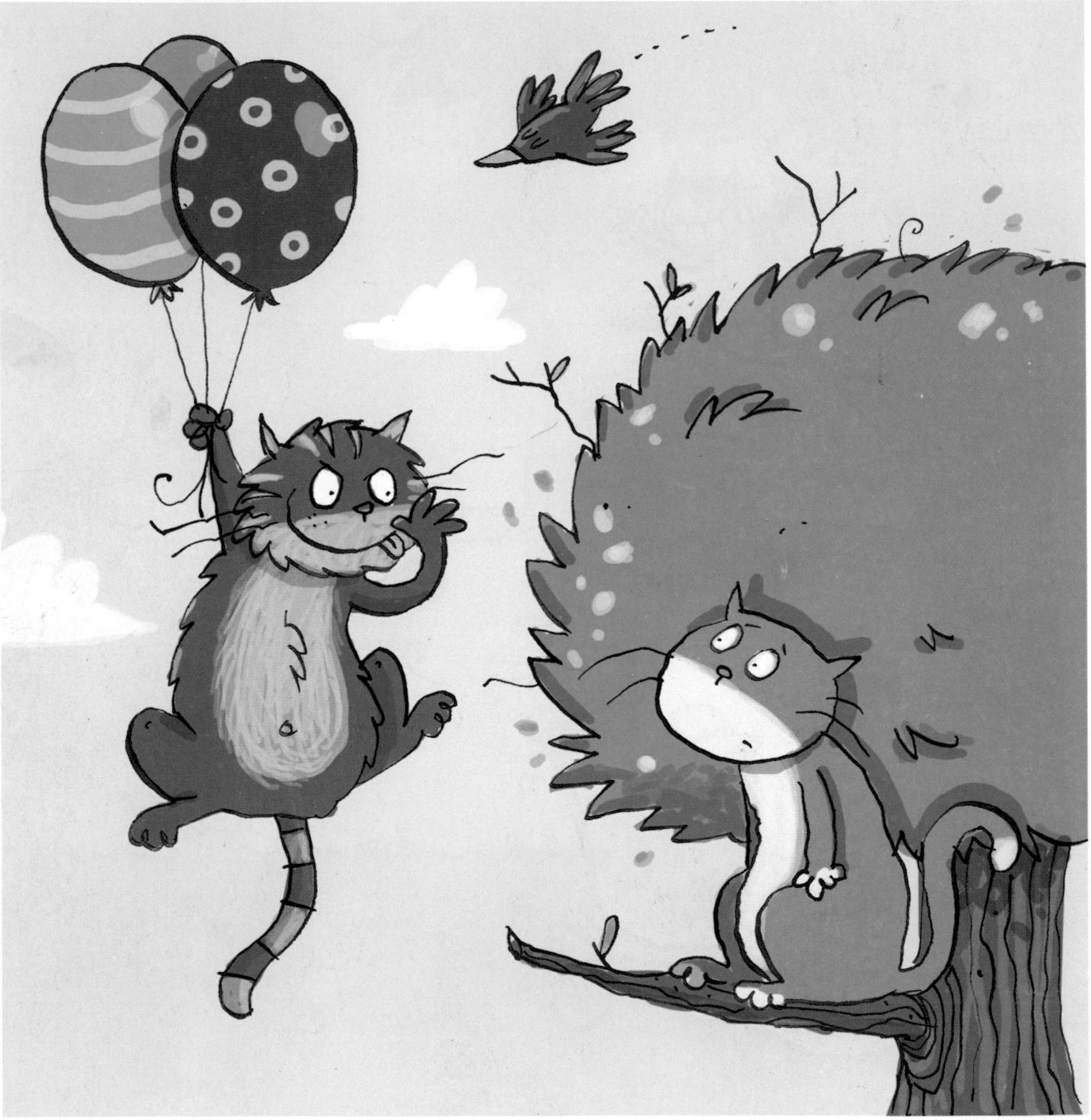

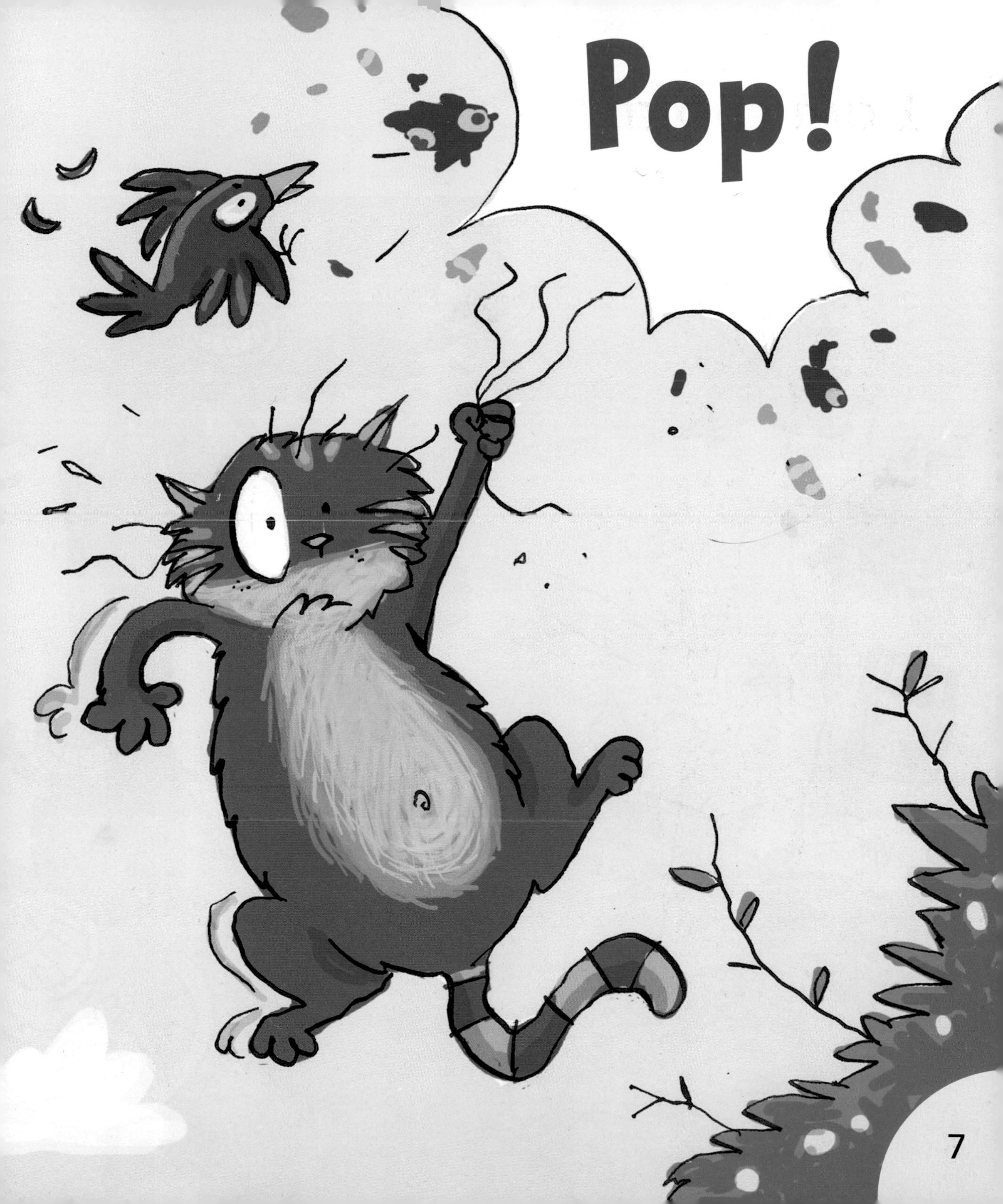
Pop!

Am I top cat?

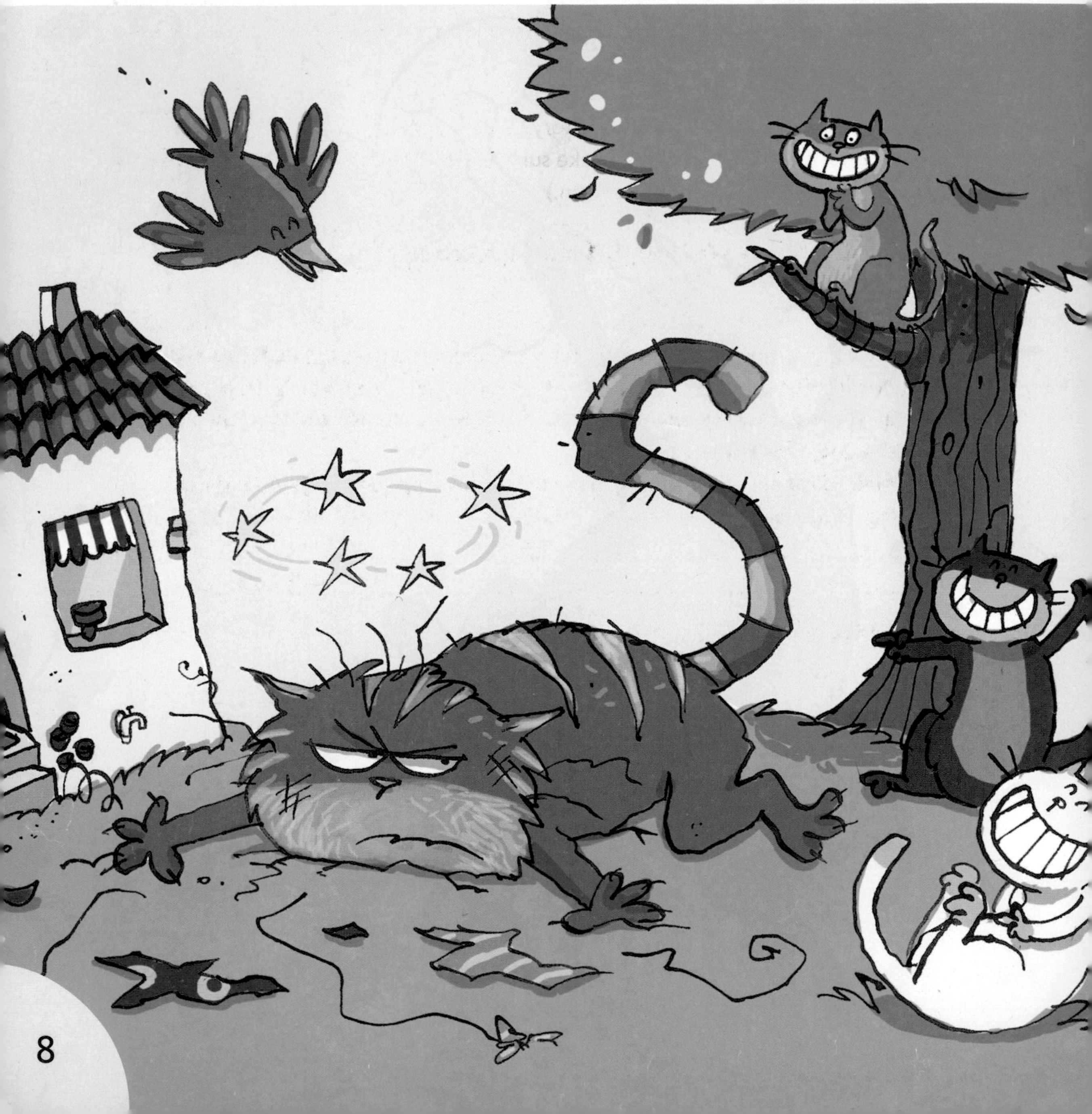